KB104644

요양원, 우리들의 이야기

-당신은 어디에 있나요-

남 모니카

책을 내면서

나는 요양보호사입니다.

한 부모가 열 자식을 키울 수는 있어도 열 자식이
한 부모를 모시지 못하는 요즘 세태라며, 현대판
고려장이라 불리는 이곳 요양원에서 어르신을 돌보는
일을 하고 있으며, 노동으로서 돌봄뿐만 아니라
시시때때로 엄청난 감정이 상황에 따라 소모되기도
합니다.

삶과 죽음이 공존하는 이곳에서, 안타까운 사랑이 가슴
깊은 곳에서 새어 나오는가 하면 속수무책인 삶의
뒷모습에 절망적인 슬픔을 맛보기도 합니다.

한분 한분 마다 얼마나 많은 희.노.애.락이 지나갔을지,
그 긴 여정을 따라 지금은 요양원에 몸을 의탁할 수
밖에 없는 현실에 오기까지 숱한 사연들과 상처 또한
얼마일지,
걸어오신 길들을 다 가늠할 수 없지만

제각기 다른 이유 또는 닮은 이유를 지닌 채 많은
어르신들이 오고 또 떠나갑니다.

몸이 병들었지만 보살펴 줄 사람이 없어
자식이 많아도 수발들 자녀는 없어

조금만 살펴주면 아직 오지 않아도 되실 분들도
그러한 환경이나 여건이 되지 못하는 안타까움과 함께,
저물어 가는 인생의 황혼 길에서 건강을 잃은 분들이
자의이든 타의이든 모여든 곳입니다.

나는 보이는 것의 관점이 아니라 어르신들이
마주해야 할 마음,
두려움과 외로움,
공포심과 절망
후회와 분노, 그리고 무력감.

죽음으로 내몰린 그들의 심리 상태가 곧 우리들의
마음이 될 수도 있기에,
그분들의 내면 상태를
조금이나마 나타내고 같은 길을 갈 수도 있는 우리들은
어떤 마음으로 이해하고
극복해야 할지를 스스로 반문
해보는 의문점으로 이 글을 시작하고자 합니다.

2024년 5월에, 남 모니카

제 1 부

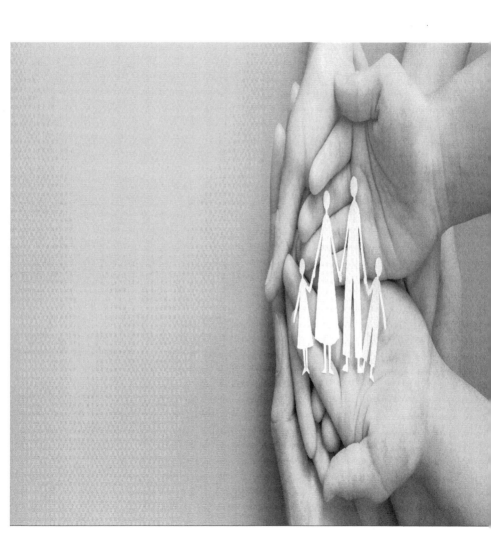

어화둥둥 내 애기

'어화둥둥
어화둥둥
까꿍까꿍 우리 애기 까꿍'

"이뻐 참 이쁘다"
머리도 쓰다듬고
팔 뻗어 올렸다 내렸다
품에 안았다가
입맞춤도 하고

팔 베게를 해준 뒤
가슴을 다독이며

'자장자장 우리 애기
잘도 잔다 우리 애기
앞집 닭도 울지 말고
뒷집 개도 짖지 마라
자장자장 우리애기'

백발 진 엄마의 미소는
언제나 침상 위에서 주름진 세월이
오고 가고

자라지 않는 인형은
늘 상   웃는 얼굴로
엄마 곁을 지키다가

어느 날

지나가는 시간에 실려
엄마는 속절없이 떠나버리자

남루하게 남은 인형은
동그란 눈을 뜬 채
쓰레기 더미 속으로
가차 없이 버림을 받고

텅 빈 침대는
또 다른 마지막 여정을 기다리고 있다.

집으로

'집에 갈 거야
엄마가 기다려
엄마 ～ 엄마～

엄마한테 가야 하는데
문 좀 열어줘
문 열어 달라구'

비틀 거리는 그녀의 걸음은
말리는 손을 억세게 뿌리치고
밖으로 통하는 문을
찾고 또 찾아 헤맨다

엄마 ～엄마～
목쉰 메아리가 사정없이 밤을 흔들자
이방 저방에서
울음이 새어 나오고

촛불 같은 몸짓들이
잘려진 기억 속에서
아이들이 되고 있다

엄마 ~엄마~
통곡으로 늙어가는 밤이
가슴을 치고
마디마디 절룩거리는 밤은
또 길어만 가고...

봉선화.1

"어머니!"
"누구세요?"
"아들입니다 엄마 아들"

"이거 먹어도 되나요?"
"어머니 드시라고 가져 온 겁니다."

백발이 성성한 아들의 눈길 앞에
아이 같은 어머니는 빵 부스러기를 흘리며
웃는다

"이것도 드셔 보세요"
"에구 고마워라
요거 이쁘게도 생겼네!"

어머니가 딸기 하나를
맛있게 우물거리자
아들의 눈시울이 젖어만 가고

"다음에 또 올게요
잘 지내셔야 해요!"

"안녕히 가세요"
어머니가 일어서 절을 한다

아들의 발걸음이 도망치듯 사라지자
주머니에 마구 딸기를 채우고 있는
어머니의 손에도 옷에도
붉은 물이 점점 번지고 있다.

내 집에 데려다 줘

"지금은 비가 안 오지?
오늘은 꼭 집에 가야 해
아들 밥 해줘야지
여기 있음 뭐 해"

언제나처럼 물통부터 챙기고
아들 사진을 챙기고
옷을 겹겹이 껴입는다

"요 앞까지 데려다 줘
택시 타고 가지 뭐
가면 우리 집에 돈 있어
어라 문이 잠겼네?
열어 줘야 가지

우리 집은 농사를 많이 지으니
내가 잔뜩 챙겨 줄게
나랑 같이 내 집에 데려다 줘!"

"어르신, 오늘도 비가 온 다네요
비가 많이 올 거라 내일 가셔야 할 것 같아요"
"그래? 비가 온대?
비가 많이 오면 못 가는데..."

우왕좌왕 망설이다
챙겨둔 비닐 봉투를 슬그머니 숨긴다

"그럼 내일은 꼭 가야겠다!"

어제 일은 잊어버리는 그녀에게
비는 내일도 모레도 언제나 예보되고 있다.

비나이다 비나이다

'하나님께 비나이다
부처님께 비나이다

몸뚱아리 안 아픈곳 없으니
내 병을 고쳐 주소서

비나이다
비나이다
힘들어 죽을 지경이니
나 좀 살려 주세요'

메마르고 주름진 손을
비비고 또 비비며
돌아누운 여윈 어깨가 들썩인다

'지나간 잘못일랑 부디 용서하시고
나 좀 살려 주이소!'

빌고 또 빌고
또 빌고 비는 신음 같은 기도 소리가
벽을 타 오르다 떨어지고
또 일어나 꿈틀 거린다

'하나님 부처님 천지 신령이시여
나 좀 살려 주세요...
살려 주세요...'

힘겹게 기도가 하늘에 닿은 것인가
어느덧
잠든 숨소리가 고요해 지는 밤!

망상

"어젯밤 또 도둑이 들었어!
내 옷도 계속 훔쳐 가더니
이제는 하늘색 운동화 한 짝도 훔쳐갔네

저년이 의심스러워
왔다 갔다 하더니
맨날 내 옷장 뒤져 훔쳐 가네
내 거 내놔
어디다 숨겼어?"

말 못 하고 귀먹은 사람에게
보이지 않는 화살을 쏜다
그녀는 무슨 소리인지 관심이 없다.

"빨리 안 줄 거야?
이게 들은 척도 않네
가만 있음 안 되겠어"!

꿈과 현실의 무너진 경계선에서
사건은 생각대로 만들어 진다

욕설과 고함 소리에
새벽이 바삐 달아나고

신발 한 짝이
자신의 옷더미 속에서 얼굴을 내밀자

"누가 그새 몰래 가져다 놓은 거지?
내가 속을 줄 알고
잡기만 해 봐"

병든 마음은 뒤져놓은 옷장만큼
어지럽다.

오늘은 꼭 집에 갈 겁니다

"오늘은 꼭 집에 갈 겁니다
퇴원 수속 부탁합니다!"

머리까지 숙이며
정중하게 매일 같은 부탁을 한다

출입문을 두들기고
문 앞에 주저앉아 소리치고
사정없이 몸부림도 쳐 보고
애원도 해 보지만
가족들은 돌아오길 원치 않는다.

병든 남편을, 아버지를,
보살필 마음도 사람도 없고
무엇보다 평생 나쁜 남편
무서웠던 아버지라
면회도 오지 않는다

한 해가 가고 달이 또 가고

가족들 얼굴이라도 보겠다는
긴 일념이 단념으로 바뀌자
식사도 약도 거부하고
또 거부하고 거부하다

임종 직전에야
꿈처럼 만나본 가족들을 눈물에 담아
세상을 떠나가고.

이제는 영혼이 되어
자유롭게 그리운 집을 드나들고 있을지!

집으로 돌아가는 하늘길을 택하여
그는 훌훌 날아갔다.

제 2 부

춤을 춘다

춤을 추고 있다
음악 소리가 없어도
그녀에게만 흐르는 박자에 취해
오늘 밤도 어김없이
이름없는 그녀만의 춤을 춘다

창가에 서서
바람을 맞으며
자유로운 몸짓과 표정은
이미 현실을 떠나 버린 듯

행복한 미소를 입가에 물고
하늘 어디쯤 한 참을 맴돌다
갑자기 하강하듯 날개를 접고
얼른 침대 위에 돌아 눕는다
금방 우울해 지다
새어 나오는 흐느낌!

바람피우는 남편 때문에 병을 얻었다는
그녀의 슬픔은
그 만의 세상이 닫혀있어
문을 열 수가 없다

가끔 조심스레 스스로 열어 보다가
이내 닫히어

그녀의 출구는 춤으로만 열리고
바라보는 이들을
언제나
숨죽이게 한다.

이승이 좋아

"나 여기저기 아프다구
약 먹는데도 왜 그런 거야?"

뚜렷한 증상이 없어도
힘없고 아프다고 우겨대는
아흔이 훌쩍 넘은 그녀는

"약 장사 안 와?
빨리 좋은 약 달라고 해야 하는데"
간호사만 기다린다

마지못해 소화제라도 드려야
끝나는 그의 보챔은

"나는 죽기 싫어
오래 살 거니까 약 줘야 한다 구"
하루 정해진 약 이외에도
약만 찾는다

기저귀가 젖고 옷이 젖어도
깨닫지 못하고
살려는 의지만이 먹구름처럼 피어나

위태로운 걸음은
오늘도 주변의 시간 속을 마구
헤집고 다닌다

봉선화 2

"이리 와 봐요
힘든데 좀 앉아 쉬면서 해
밥 먹어야지"
때마다 보살피는 자에게도
숟가락을 건네고

"에고 춥겠다"
다른 이들의 이불도 도닥이고
"안녕하세요"
아픈 허리를 펴가며
방마다 웃음을 전한다

가까이 가면 머리도 쓸어주며
마주치면 웃어주는 그 모습은
세상만사가 다
부질없이 녹아
투명한 사랑으로 변하였는가

사라져 버린
기억의 빈 뜰에서도
봉선화꽃처럼 정겨운
그녀의 배려가
햇살처럼 퍼져 꽃물을 들이고

척박한 뒤안길에서도
봉선화꽃이 피어나고 있다.

하루는 물레바퀴처럼

언제나 보따리 하나가
침대 한 켠을 차지한다

알록달록 옷 몇 가지를
소중한 보물처럼
보자기에 동여 싸고
깊이 품에 안고서야 잠이든다

자다가도 확인하고
날이 새면 풀어 헤쳐
이리저리 입어도 보고

자신의 옷 몇 벌이
지켜야 할 전 재산인 것처럼

유일하게 만질 수 있는
지난날의 향수로
이리 가슴에 품고 사는 걸까

언제나 보따리 하나가
침대 한 켠을 차지하고

하루는
물레바퀴처럼 같은 모습으로
돌고 돌고.

내 여자 될래

"이봐
한번 만져 줘봐"
기저귀 가는 손을 잡아 끈다
"왜 이렇게 비싸게 굴어
나도 한 때는 잘 나갔다니까"

거동도 힘든 몸으로
고통에 신음하던 목소리가
기회가 오면

"내 여자 될래?
돈도 있다니까"
음침한 그의 농이
공허하게 맴돌다 바닥에 떨어진다.

일상이다
유일하게 표정이 살아나고
생기가 도는

가장 원초적인 상황에서 벌어지는
그 만의 탈출이다

살아 있다는 힘없는 증명이다!

그냥 메마르게 붙드는
삶의 비명이다!.

엄마라는 이름으로

가슴에 돌덩이가 만져진다
놀라워도 놀랄 일이 아닌 이곳엔
삶이 죽음을 동반하고
죽음이 삶을 노예처럼 끌고 다니는
현실을 본다

"아프지 않으세요 어르신?"
"괜찮아 살 만큼 살았는데
병원 가서 또 고생하다 죽느니
이대로 살다 떠나는 게 낫지

새끼들이 있어도 어쩌겠나
지들도 살아야 하는데
내가 맨날 징징 거리면 쓰것나
다들 짝 지워 자리 잡고 사니
나만 영감 따라 떠나면 그뿐이지

세상살이 별거 아니다
자네들도 건강 잘 지키고
죽기 전에 할 건 하고 살어

억척스레 살아 왔지만
몸뚱이 병들면 다 소용없는 거여

자식들이야 잘 살아 주는 게 효도고
나야 이놈의 병에서 해방되려면
속히 죽어야 하는디..."

담담한 그녀의 말과 달리
점점 눈시울이 젖고 있다

오래지 않아 그녀는
엄마라는 이름으로 아픔까지 삼키다
자신만의 별을 찾아
떠나갔다...

삶이 부끄럽고

콧물이 흐르고
침이 흘러
죽 그릇에 떨어진다

도움도 거부하고
밥상에 머리를 떨군 채
흔들리는 숟가락질

그는 부끄러워 한다
병든 것이 부끄럽고
사지가 굳어 부끄럽고
배설물을 의지 함이 부끄럽고
의식이 살아 있음을 부끄러워 한다

겁 없이 살아온 지난날이 부끄럽고
남겨진 처 자식에
죄인처럼 부끄러워 한다

가족이 찾아와도 부끄럽고
오지 않아도 그리움 때문에
부끄러워 한다

콧물이 줄줄 흐르고
침이 줄줄 흐르고
눈물이 줄줄 흘러 내리고

부끄럼도 같이 강물이 되어
흐르고 있다.

제 3 부

나 대학 나온 여자야

"도와주세요!"
동료의 다급한 소리
보호사들이 달려가고

"왜들이래
내 손 놔
왜 지랄들이야"
벽에도 손에도 똥으로 엉망이다

"내가 이리 보여도 대학 나온 여자야
너 까짓 것들과 수준이 다르다구
이 손 안 놓을 거야
내 똥은 금덩어리라니까"

손을 씻기고 몸을 닦고
기저귀를 갈고
옷을 갈아 입히고
침상을 갈고 벽을 닦아 내어도

지독한 냄새 사이로 터져 나오는
보살피는 자들의 한숨 소리!

"내 자식들도 다 대학 공부시키고
내가 얼마나 대단한 여자였는지
니네 들이 알아"

무시와 욕설과 자랑으로
한바탕 전쟁이 끝나자

패잔병 같은 인생의 뒷모습만이
오늘도
쓰디쓴 웃음을 짓고 있다.

날개를 찾아

떠나갔다
그녀의 시간이 마침표를 찍고 날아올랐다

축 처진 표정과 버겁게 늘어진 몸
식사 때 만 겨우 살아나와
이내 무기력 속으로 눈을 감지만
찰나에 흔들리는 그녀의 내면을 보았다

이름을 불러 드리고
손을 꼬옥 잡고
숨어버린 의지를 깨우고
그녀의 영혼에 입 맞춤을 하자

의아한 눈빛에 생기가 돌고
서서히 안개를 헤치고

병마에 가려진 그의 표정이
좌절에 묻어버린 그의 인격이

조금씩 조금씩 신뢰로 살아나
소리 없는 미소가 오고 갔지만

예기치 못한
코로나라는 전염병이
그녀의 발목을 잡고 데려가 버렸다

달려온 남편은
꺼이꺼이 울고

그녀에게 인사를 건넨다
그곳에선 부디 잃어버린
당신의 날개를 찾으시길.

돈이 날아가네

"이것 좀 봐!
자꾸 실이 풀려 나간다구"

조그만 천 지갑에
아들이 주고 간 몇 장의 지폐를 넣고
올이 풀어지고 있다고
허공을 댕겨 동여매고 있다

"실이 풀리고 있어
돈이 새어 나가고 있는 게 안 보여?"

실 끄트머리를 잡고 돌리고 또 돌려
칭칭 지갑을 감고 있는 손짓을 한다

"돈이 날아 가네
이거 큰일 났다!"

종일 그녀의 손에는
꽃무늬 천 지갑이
단단히 목 졸림을 당한 채
돌고 또 돌고

그가 지쳐 잠에 빠지자
맥없이 침대 밑으로
툭!
떨어져 버린다

빼꼼히 지폐 한 모서리가
상처 난 얼굴을 내민다.

매일 이 하루처럼

선생님
선생님~
침대 좀 올려 주세요
손가락에 힘이 없어 버튼을 누를 수가 없어요

선생님
선생니임
이불 사이로 바람이 들어와요
이불 좀 제대로 덮어 주세요

선생님
입이 쓰니 사탕 하나 주세요

선생님
침대 끝까지 머리를 올려 주세요

선생님
더우니 이불 좀 젖혀 주세요

선생님
발이 시리니 양말 신겨줘요
선생님 선생니임

조금씩 굳어가는 몸 대신
그녀의 입술은 종일 바쁘다

심부름으로 관심을 유도하는
그녀의 몸부림은
늘 상 두려움으로
하루하루 이어지고.

만병통치약은 어디에

"숨 쉬기가 힘들어"

"어르신 호흡도 맥박도
당 수치도 정상입니다"

"그래도 자꾸 불안한데 어쩌란 말이야"
"마음을 편하게 가지셔야 합니다
좋은 일만 생각하시고
긍정적으로 생각하셔야 몸에도 좋아요"

간호사가 떠나자
언성을 높여 욕을 한다

"병을 낫게 해 주야지
맘을 편하게 먹어라 구?
그딴 말이 약이 되냐"
목소리가 점점 커지고

만병통치 약이 되지 않아
원망하고 악을 써 본다
내 아픔이
모두가 남의 탓이 되어

살아있는 시간마저
지옥을 맛 보고 있는 듯

그의 그림자가
그를 삼키고 있다.

에덴을 찾아

"할머니는
왜 예배보러 안 왔어?
방에 있음 뭐해
노래도 부르고
목사님이 얼마나 재미있게
이야기도 잘해 주시는데"

"나는 예수 안 믿어
예수쟁이들도 나쁜 사람들이 많은데 뭘
앉아 있는 것도 힘들고"

"무슨 소리야
죽을 날만 남았는데
죽어서라도
좋은데 가야지"

"죽고 나면 그뿐이지

자식들도 내 팽겨 쳤는데
좋은 일이 뭐가 있다고 노래를 불러?"

"몰라, 나는 가면 기분이 좋아
마음도 즐겁고
몸도 덜 아픈 것 같고
하나님 믿고 천국 갈 거야!"

주일이면
아이 같은 눈빛으로 부르는
어눌한 찬양들이
간절한 기도가 되어 퍼지고

병든 아담과 이브 들이
떠나온 에덴으로 걸음을 내딛고 있다.

세월의 생채기

"나는요
억울해서 못 살겠어요
홀몸으로 늦게까지
뼈 빠지게 일해서
아들딸 집까지 장만해 주었는데
내가 병드니까
요양원에 다 버리네요

내 집도 내 돈도
자식한테 믿고 맡겼는데
이리 찬밥 신세라니!"

아들딸이 면회 올 때마다
고함과 욕설로 얼룩지다
이제는 그나마 뜸해져 버리자

손가락을 물어뜯고
팔에 생채기를 낸다

주기만 했던 사랑이
받을 수 없는 빚으로 변해 버리자
서러움과 분함만 가득 찬
마음만이

침상 위에서 끝없는 자해는
피로 얼룩지고..

제 4 부

죽지 말고 오래 살아야 해

"내 신발이 없어
이거 내 신발이 아니야"

새벽을 깨우는 소리와 함께
아이만큼 작은 체구에
꼬부라진 허리로
이방 저방 헤매고 다닌다

남의 침대 밑도 살펴보고
남의 신발도 요리조리 확인하자
여기저기서 성가신 언성들이 높아진다

입소할 때 누워 실려 와
여지껏 신발 없이도 지내 오셨는데
기억 한 토막이 살아난 듯
쉬지 않고 신발을 찾는다

작은 발에 맞추어

분홍색 이쁜 신발을
급히 사와 신겨드리자
조그만 얼굴은
펑펑 눈물범벅이 되고

"나 돈이 없는데
영감도 죽고 없고
고마운데 어떻게 해"

한참을
당황하게 만든 눈물이 멈추자

"꽃구경 하고 싶어
저 아래 꽃 좀 보러 가보자"

가슴에 안은 신발을 챙겨 신는다

휠체어가 꽃밭에 멈추었지만
며칠 전까지
활짝 피었던 함박꽃들이
시든 채 머리를 숙이고 있다

손을 뻗어 쓰다듬으며
'죽지 마!
죽지 말고 오래 살아야 해
알았지 알았지
오래 살어'

시든 꽃에 건네는 그녀의 말에
마음은 먹먹해지고

생의 무상함 속으로
꼬부라진 허리를 지탱한 채

작은 분홍 신발이
힘겹게 걸어보고 있다.

뜨개질

노오란 털실이
숨 쉬듯 풀려 나간다

가끔가다 차분해지면
그녀는 뜨개질을 한다

목도리가 완성되면 누구를 줄지
고민도 하고
돌봐줘 고맙다고 인사도 건네며
자상한 할머니 모습으로
올올이 손끝에서 짜여 가는데

심술궂은 시간은
빠르게도 기억을 이동해

"나 죽고 싶어
먹고 죽을 약 주란 말이야

아이고 엄마
나 좀 데려가 줘

더 이상 살기가 싫으니
제발 죽을 약 좀 구해와

누가 나 좀 죽게 해 줘요!"

말릴 수 없는 고성과 몸부림에
목덜미를 잡힌 뜨개는
풀리고 팽개쳐져 형체를 잃어 버려도

언제나처럼
또 고운 손길로 돌아와 줄
할머니를 기다릴 것이다.

엄마의 자리

창 너머 집들 사이로
아들 집이 있다고

아들이 밥을 먹었는지
집에는 잘 들어왔는지

불혹의 나이를 지난 막둥이를
보고 나도 돌아서면
늘 상 마음 졸인다

아들 바라기는
날로 가지를 뻗고 뻗어
이제는 문밖에도 방안에도
복도에도 서 있는
환상을 보고

자다가도 아들이 부르는 소리를 따라
환청 속을 헤매인다

휘청거리는 걸음은 날마다
창 너머 너머

엄마의 자리를 애타게 찾고 있다.

쾡 하니 눈빛만 살아

급히 병원에 실려 간
그가
달을 넘기고 서야 돌아왔다

그렇게 가고 나면
이미 이 세상 분이 아니라는
생각을 깨고

여윈 몸에 쾡 하니 눈빛만 살아
누워 지낸 그 침상으로
아무일 없는 듯
자리를 지킨다

움직일 수 없는 몸 대신
보호막처럼 침을 뱉아
방어를 해 왔지만

이제는
처연한 눈빛으로
경계의 울타리가 해제되었다

바라보는 안타까움에
그가 눈으로 위로를 건넨다
괜찮다고!

참으로 괜찮은 시간이
참으로 살아 돌아와
좋은 시간이

그의 곁에 머물러 주길...

귀가

숨길 수 없는 미소가
번지고 있다

우울한 그림자가
내내 침대 곁을 머물렀는데

하나하나 옷가지와
소지품을 정성스레 챙기고 있다

"내일 오전에
며느리가 데리러 온대요
갑자기 내가 쓰러지는 바람에
거동이 불편해 여기까지 왔지만

이제는 혼자서도
가만가만 움직일 수 있으니
아직 정신이 멀쩡할 때
집으로 돌아 가는게 맞는 것 같네요

여기 와 보니
침대가 일어 나기도 쉽고
집에도 침대를 사야겠어요"
은근한 설명에 자랑이 묻어 나오고

참으로 엄청난 기적 같은 귀가에
부러운 시선들이
애처롭게 피해 가는데

"나도 운동해서 집에 갈 거야!"

옆 침대에서 불편한 두 다리가
허공에서 버둥거린다.

아들 집에 왔다가

"할머니는 왜 여기 왔수?"
화투 놀이를 같이하던 어르신이
생각 난 듯
묻고 있다

"나 말이여
집이 전라도 인디
아들 집에 댕기러 왔더니
시골집에 가지 말고
여기 있으라고 하네"

"왜 아들 집에 살지 않구요"

"에구 혼자서 집이나 지키면
가만히 있을 수가 있어야지
청소하고 밥하고 하다 보니
여기가 더 편한가 하고"

"시골집은 누가 살아요?"

"비어 있는 디
내 옷도 챙겨 오지 않았어"

"날씨도 더워지는데
여름옷을 사달라고 해야지요"

"뭐하러
내 집에 가야지
집도 오래 비워두면 쓰것나
곧 갈거여"

짝도 맞지 않는 화투는
주고받는 대화와 함께
그림 놀이처럼 이어지고

며칠 뒤
며느리가 사 온 여름옷 몇 가지가
서랍 속에 가지런히 자리 잡는다.

상처

말도 할 수 없고
들을 수도 없는
그녀는
눈치와 입 모양을 보고 짐작한다

가끔
알 수 없는 소리를 내곤 하지만
말이 되지 못하고
손짓과 표정으로 감정을 드러내기도 하나
대부분 조용한 그녀는

옷을 벗고
괴성을 지르고
남의 옷까지 갈가리 찢어
던지고 있다

사고로 아들을 잃은 뒤

정신까지 병든 엄마의 상처는
날마다 쌓이고 곪아
이렇게 터지고 있는 걸까

귀 막고 입을 막았어도
그의 마음에는
수많은 말과 소리가
통곡처럼 넘쳐났으리라

겁에 질린 주변은
저만치 물러나 있고

그녀는 파도처럼 부딪히며
산산이 부서지고 있다.

파출부로

몸집이 유난히 작고
아기처럼 귀여우신
어르신이 불러 세운다

"나 말이야
어디 파출부라도 다니게
자리 좀 알아봐 줘

허구한 날 이렇게 지내니 답답해
나가서 살고 싶어
내가 돈 벌어서 먹고살게
일자리 있는지 꼭 좀 찾아 줘
알았지! 응   응..."

허리가 굽어 걷기도 힘드신 분이
간절하게 팔에 매달린다

"알았어요 어르신
꼭 알아보고 알려 드릴게요"

내일이면 잊어버릴 약속에
치매조차 처연하게 물러나 있고

"내가 야무지게 일도 잘 할게
걱정 마 알았지"!

눈빛만이 기대로 출렁이고 있다.

제 5 부

하모니카 소리

사연이 많아
목메어
하모니카가 울고

돈 벌어 오겠다고
떠난 타국살이에

기다리다 병든
아내가 죽고

늦게 돌아온 것이 한이 되어
이제는 체념한 몸만 남아
그 사연 다
풀어내지 못해
하모니카를 분다

까맣게 얼굴이 변하고
호흡조차 가쁘지만

하모니카는
늘 상 곁에서
그리운 시간 들을 불러낸다

못다 한 말들은 쌓여만 가나
들어줄 이는 떠나 버리고

상처 난 하모니카 소리만
애절하게 이어지고 있다.

때로는

해가 바뀌어도
나이를 먹지 않고
거꾸로 얼굴은 밝아지고 있다

기억이 소각되어
늘 상
백지 같은 웃음을 짓고

거칠고 험하던 손도
두려움이 가득한 얼굴도
변하고 변하여
천진한 아이로 남아 있다

여기가 그녀의 집이고
보이는 사람이 가족이다

도돌이표 같은 시간은
되려 안정감을 주고

굽은 허리라도 걸을 수 있고
가난하게 살아와
이제는 수급자로 요양비까지
책임질 필요가 없다

세월이 갈수록
나이는 점점 사라지는 듯
긴 하루를
아이가 되어 살고 있다.

모녀의 시간

휠체어에 탄 엄마와
마주 보고 화단에 걸터앉은 딸이
따스한 햇살 아래 정겹다

말도 없고
불평도 없이
그냥 침상에서 조용히 누워만 지내다가

딸이 왔다는 소식에
화색이 돌고 몸을 일으킨다

머리 빗고 단장하고
딸을 보는 순간!
그녀는 환자에서 엄마로 변해
표정에도 목소리에도 눈빛에도
오로지
딸을 담고 있다

좋아하는 음식
듣고 싶은 이야기
추억까지 소환해 와

손잡고 나란히 앉은
모녀의 긴 시간도
모자라게 보이고

간식을 껴안고 돌아오는 휠체어에
"딸이 있어야 해
딸이 제일 엄마 맘을 알아"
부러운 소리들이 방안을 채우고 있다

엄마는 또 딸이 올 때까지
언제나처럼 오로지 잠만
청하고 있을 것이다.

다른 별

"여기가 어딘가
내가 왜 여기 와 있어?"

"아들이 데려다 놓고 갔잖아요"
옆에 어르신이 대답해 준다

"아들이?
아들은 미국에 살고 있고
얼마나 착한데 뭔 소리여
집에 가야 하는데
어디로 가야 하는지
여기가 도대체 어디요?"

"어르신
깜빡하는 증세가 있어
혼자 계시면 위험해 여기 오신 거랍니다
나아지면 그때 집으로 가세요"

"잠깐씩 정신이 없긴 해도
아무렇치가 않아

집 비워 두면 안되니까
가야 해
우리 집은 작은 건물이야
세만 받아도 충분히 살지

고생한 덕분에 이제는 살만해
딸 하나 아들 하나 공부시켜서
다들 미국에서 자리 잡고 잘 살아

영감도 일찍 죽고
나 혼자 집도 관리해야 하는데
내가 왜 여기 와 있는 건지?"

미국에서 나온 아들 손을 잡고
입소 하였지만
그녀는 그 기억이 없다
갑자기 다른 별에 떨어진 이방인이 되어
어쩔 줄 몰라 당황하고
집에 가겠다고 애원을 한다

설명하고 설득하여도
이유는 소용없고
오직 집으로 가야 한다는 생각에
애간장이 타고
문 열어 달라는 쉰 목소리에
너도나도 아프고 아프다

기억에 틈이 생기기 시작하자
건물도 아들 이름이 되고
거주하던 집도 세입자가 들어오고
돌아갈 곳도 없이 정리되어
어머니만 이곳에 맡겨진 채

아들도 어쩔 수 없는 듯
돌아가는 비행기를 탔다

매일매일 옷 가방을 챙겨
문 앞에 자리 잡아

돌아가려는 고성과
몸부림이 계속되고

잠깐 지쳐 있다가도

"여기 어디야?
내가 왜 와 있지
집에 가야 해"
반복되는 그의 절규에

모두의 시간에 허망함이 균열을 만들어
탄식과 한숨이
새어 나가고 있다.

첩보 작전

첩보 작전처럼
그가 잠깐 침대를 비운 사이
시트 밑이며 서랍이며 옷 속에서

여러 장의 타올과
몇 개의 숟가락과 전기면도기
고이 접어 쌓아둔 소복한 화장지와
소소한 것들을 찾아내고
재빠르게 빠져 나온다

훤칠한 키와
잘생긴 외모와
능숙한 언변으로
어디로 보나 부족함이 없어 보이는데도

틈을 노려 다양한 것들이
그의 주변에 숨어들어
찾아내야 하는
술래 놀이를 한다

아는 듯 모르는 듯
비워진 그 자리는

또
얼마큼의 시간이 지나면
마음을 채우듯
불룩 해가고

소리 없이 감추고
말없이 찾아내고
승자 없는 놀이처럼 돌고
또 도는 첩보 놀이.

하나님은 어디에

그는 틈만 나면 성경책을 본다

잘 나가던 사업이 망하고
그로 인해 뇌출혈로 쓰러져
반신불수가 된 몸으로

가족 곁을 떠나온 지
벌써 수년이 지나고 있다

"처음엔 힘들어
하나님만 원망하고
모든 현실을 받아들일 수가 없어
미쳐 버리고 싶었답니다

살지도 죽지도 못하고
생각이란 것이 다
없어지길 바랬는데

여기서 또 허망하게
돌아가시는 분들 보니까

참으로 산다는 게 무언지
의문이 들고

그래서 하나님 만나보려고
열심히 성경책을 읽어 본답니다
조금은 어눌한 목소리지만
그의 눈빛은 진실하고 절실해 보인다

"왜 아담과 이브는
먹지 말라는 선악과를 따 먹고
에덴동산에서 쫓겨나
이리 후손들까지 힘들게 살게 할까요?"

그 말을 하고
그가 겸연쩍게 소리 내어 웃는다
나도 따라 웃는다.

내 나이가 어때서

"어르신
커피 드시러 나오세요"

방마다 거동이 가능한 분들은
거실에 모이게 한다

한분 두분 부축을 받기도 하고
굽은 허리로 거치대를 잡으며
또는 워커에 의지한 채

'커피 마셔야지
커피가 제일로 맛있어'
어설픈 걸음들이 소파에 자리를 잡는다

따끈한 믹서 커피를 마시며
그들만의 대화를 나눠다 보면
운동을 인도할 선생님이 와
텔레비전 화면에 트로트 노래에 실린

율동을 띄우면
벌써 몸들을 들썩이신다

야   야야 내 나이가 어때서
사랑하기 딱 좋은 나이야~

노래 가사와 서툰 동작들로
한바탕 웃음이 터진다

"어르신들
오늘이 제일 좋은 날이라 생각하세요
건강을 위해서 박수"
짝짝 짝짝짝!

소리는 긴 복도를 따라
누워 계시는 분들의 방으로도
슬그머니 새어들고 있다.

내 엄마니까

욕설을 하고
잘 알아보지 못해도
내 엄마니까

몇 년째 누워서
요구 조건도 엉망이지만
우리들의 엄마니까

딸들이 번갈아 면회를 온다
과일도 가지가지
소분해 담고
평소 좋아하셨던 직접 만든 약밥과
잘게 찢은 장조림
식혜에다 카스테라 까지
정성을 가득 담아 준비해 온다

이건 식사 때 올려 주세요
저것은 간식으로 드려 주시고요
엄마가 좋아하시던 거니
잘 부탁합니다

그러다 시간이 지나면
소홀할 줄 알았지만

한결같이
해가 바뀌어도 변함도 없이

변해 버린 엄마지만
'나의 엄마니까'

병든 엄마의 자리를
사랑으로 채워가고 있다.

제 6 부

이 작은 영역에서

걷고 있다
복도를 따라 문 앞까지 갔다가
뒤돌아서 거실까지 오고
또 돌아서서 되풀이 되는
그는 언제나
왔다 갔다를 반복한다

그러다 창밖을 보고
한참을 서 있다가
채 바퀴 돌듯 도는 시간 들

전에는 부인이 자주 면회를 왔다고는 하나
아무도 오지 않는 몇 해의 세월이 가고

유일하게 출입문을 열 수 있어도
돌아가기를 포기한 마음 안에서

오늘도
이 작은 영역에서
먼 길을 걸어가듯
또 걷고 걷는 하루!.

비대면 면회

"코로나 때문에 비대면 면회입니다"

아들이 왔다는 소식에
누워있던 그녀가
반갑게 일어나 머리카락을 쓸어 넘기며
휠체어에 앉자마자
접하는 소식이다

'그래도 얼굴이라도 볼 수 있어 다행이야!'

유리문 밖에 키 큰 아들이
선한 눈빛으로 엄마를 맞이한다

"엄마 잘 지내시는 거죠"?
"그려 너는 왜 그리 말랐어"
"아니에요 그대로인데 뭘
엄마 얼굴이 까칠해 보이네요"

"나야 뭐 아무려면 어때
네가 건강하게 잘 살아야지"

아들이 안타까운 눈빛으로
유리창에 손을 대고
엄마는 그 손을 잡지 못해
손바닥을 펴서 마주 겹친다

키 작은 엄마는 올려다 보고
키 큰 아들은 허리를 숙여
젖은 눈으로 엄마를 본다

처음 이곳에 어머니를 모셔 왔을 때
눈물과 함께 잘 부탁한다며
죄인처럼 돌아서던 아들이었다

혼자 지내시던 어머니가 계단을 굴러
허리를 다친 뒤
여기까지 오신 것이다

며느리가 한집에 사는 것을 마다하니
갈 곳이 없어 왔다는 어르신의 말!

오늘도 아들은 죄송한 뒷모습으로 돌아서고

엄마는 아쉬운 꿈을 이어가고 싶은 듯
침대로 돌아와 뒤돌아 눈을 감는다.

세월이 왜 이리도 빠른지

"어르신
젊었을 때 무척 예뻐 셨을 것 같네요
그런 소리 많이 들으셨죠"?

"다 지난 일이네
그때는 남자들도 많이 따랐지
그럼 뭐 하나
나 좋다고 만난 신랑이
술만 좋아하다가 일찍 가버린걸
애들 데리고 살려고 보니까
무지 고생만 하다가
이제 살만하다 했더니
몸이 망가지고

세월이 왜 이리 빠른지
이런 날이 있을 줄 알기나 했겠소
바쁘게 살다 보니
죽을 날만 코앞이네

뭐 땜에 그리 악착같이 살았는지"

아차, 하고 말을 돌리려 애써 본다
"지금도 웃는 모습이 너무 예쁘세요
웃고 살면 건강에도 좋다 하니
나쁜 건 다 잊어버리고 웃고 살아요"

"그래 고마워!
자식들도 처음엔 면회를 좀 오다가
이제는 얼굴도 잊어먹게 생겼네
나는 언제나 보고 싶은데
자식들은 엄마도 잊어버리나 봐!"

" 바쁘게들 사노라고 그럴 겁니다
　여기서 잘 지내시길 바라니까
　맘 편히 지내주세요"

　그래도 마음 알아주어 고맙다고
　되려 손을 잡아 주신다

　한결 가벼워진 마음을 느끼지만
　그 마음이 결코 길지가 않음을...

인생의 종점

사람을 차별하지 않는 병마는
선한 눈빛과 사려 깊은 미소까지 낚아채어
밤사이
죽음의 계곡을 건너가 버렸다

병이라는 이름으로
인격도 감정도 본인의 의사도
저당 잡힌 신세가 되고

고달프고 힘든 시간 들은
하루를 기일게 늘어뜨리고
늘어진 시간에
매달린 고통 들이 끝을 보이지 않자

허물을 벗듯
세상을 벗어 던지고
홀연히 떠나 버렸다

자주 면회 오는 가족들 앞에서도
자신의 처지를
불평 한마디 하지 않은 채

외로운 싸움 끝에
아빠요, 할아버지요, 남편의 자리에서
홀로 뒤돌아 소리 없이
떠난 뒤

소식을 접한 가족들과 친인척들이
급하게 달려와 애도를 한다

이렇게 달려와 줄
이 많은 지인들이 있어도

정든 내 집을 떠나와
낯선 환경에 모든 것이 맡겨진 채

쓸쓸히 떠나가야 하는
우리들의 무기력한 인생의 종점을 본다.

어느 날

"선생님 소식 들었나요?"
"밤새 무슨 일이 있었나요?"

'아!
뼈만 남은 억겁 같은 시간을
힘겹게 버티고 있던
그녀가 떠나셨구나'

"가시기 전 자꾸
눈물을 흘렸다고 합니다
항상 너무도 억세기만 하셨는데
십 년 가까이 버티다가
이제 돌아가시는 줄 아셨나 봐요"

"근데 소식을 전해도
장례식장으로 실려 가기까지
가족이 아무도 오지 않았다네요"

때때로 들어야 하는 현실에
잠깐 안타까움과
분노도 생기지만
감정을 이겨내고 본분을 찾는다

죽기 전까지 따라다닐
그 고통에서 벗어나

살기 위해 힘주어진 표정을 풀고
가벼워진 영혼으로
훨훨
부디 빛을 따라가소서

하루는 또 이렇게 시작되고 있다.

누가 있재

"어이 어이
내 머리 맡에 누가 앉았는지 봐
누가 있재
아까부터 안 떠나고 있어
내가 죽을 건가 보네"

백 살이 지나
또 한 해를 보내고 있는
경상도 할머니가
불러 세우신다

"어르신 아무도 없어요
에잇 귀신이 있다면 저리 가
훠이 훠이!"
두 팔을 휘둘러 쫓아내는 시늉을 한다

이제 가 버렸으니
염려 마세요

"아니야 안 갔어
저기 숨어 있어
또 올 거야"
표정이 심각하고 긴장감이 느껴진다

처음이 아닌 터라
괜한 소리로 듣기도 하지만
한편
혹시나 하는 생각에
저승사자라도 염탐하듯
기웃거려 보는 시간,
시간 들.

다시 돌아오고

돌아왔다!

유일하게 집으로 귀가 하신 분이
느닷없이
다시 입소 하셨다

" 어르신
집이 제일 좋다고 하셨는데
왜 돌아 오셨나요"?

잠깐 망설이다
"밥을 못 먹어서...

아들 며느리가 직장에 나가고
밥도 꼬들꼬들 한 편이라 먹기도 힘들고
이리 오는 게 서로가 편할 것 같아서..."

아!
마음속으로 탄식이 흐른다

이미 떨어져 살아본 터라
각기 입장이
달라져 버린 걸까

한 집에서 잘살아 왔어도
또 다른 길을 알아버린
서로의 불편함이 만든 결과인가?

천천히 조심스레
복도를 오가시는
뒷모습이
한층 애처로워 보인다.

제 7 부

한 아이가 울고 있다

울고 있다 한 아이가

말도 서툰 아이가
서럽게 얼굴을 파묻고 울고 있다

제대로 걷지도 못하면서
어디론가 서툰 걸음을 떼려 하고

고개 한번 들어보고
낯설어서 울고
손잡아 일으키면
아프다고 운다

엄마 찾아 울고
아버지하고 울고

어쩌다 정신이 들면
아범아 불러 보고
내 딸아 하고 운다

한 아이가 울고 있다

누군가의 어머니가
누군가의 아버지가

길을 잃어 버린채
미아가 되어 흐느끼고 있다!.

밥이라고 준 거야

"점심때 나보고 국수 줬지?"
"네 어르신"
"그게 밥이라고 준 거야
벌써 배가 고프잖아
고기는 니년 들이 다 건져 먹고
그걸 먹으라고 준 거야"

잔치국수 곱배기에
별도로 드린 밥까지 비우고는
한 시간도 지나지 않아
방에서 나와 시비를 건다

"점심 메뉴가 오늘은 국수지만
밥까지 같이 드렸는데
배가 고프신가 보네요
빵이라도 드릴까요?"

"내가 빵 달라고 그랬어

누가 맛있는 거는 다 건져 먹고
그따위로 준 거야!"

이유는 필요 없고 스스로 화가나
삿대질에다 욕설까지 돌아온다

백 살을 향해 가는 그녀는
밥 한 톨 남기지 않고
꼭꼭 천천히 드시면서
'잘 먹어야 오래 살지'

그 신념이 너무도 강해
또 불만이 터진 것이다

이승의 끈을 놓지 않으려는
불안은
스트레스를 토해내듯
오늘도 언성은 높아만 가고.

그리움은 암처럼 퍼지고

미친 듯이
집으로 가겠다는 일념이
애원과 타협과 고함과 욕설로도
굳게 닫힌 문이 열리지 않자

애태우는 그 마음이
갈가리 찢어지는 듯
나날이 여위고 피폐해 가는
그의 정신은
자주 과거형에 머물러 버리기도 한다

내 아이가
착하고 효도하는 자식으로
내 품 안에 있고
그 자식을 위해
고생조차 마다 않던 때로 돌아가
딸을 부르고 아들을 부른다

불려 지는 그 이름들이
이곳에 모셔놓고
행여 따라 나설까 봐
면회조차 오지 못하는데

치매 초기에도 떠날 보낼
변명이 되어 있는 자식과
내 자식은 착해서 그럴 리가 없다고
부정하는 엄마

엄마의 기억은
길고도 질겨
자식을 놓지 못하고

날마다 그리움은 암처럼 퍼져가
가슴은 병들고
기억은 혼란을 거듭해

오늘도 과거와
현재가 뒤섞인
불안한 시간 속에서
빠삐용 처럼 끝도 없이
탈출을 꿈꾸고 있다.

할머니와 리어카

출근길 이른 아침
연로하신 할머니가
리어카에 빈 종이박스를 가득 채워
힘겹게 그러나 당당히
끌고 가는 모습을
자주 보게 된다

저 만큼의 박스가
아주 적은 돈으로
환산될 뿐일지라도
그 분에게 마음의 박수를 보낸다

새벽을 깨우며 일어나
부지런히 버려진 박스들을 주워
힘껏 생을 끌고 가는 그의 모습이
얼마나 대단한지!

돈으로 해결되지 않는
마지막 여정이

어떤 모습으로
각기 찾아올지 몰라도

아직
건강이 있어
내가 삶의 리어카를 끌고 갈 수 있다면

체념이 독버섯처럼 자라지 못하고

희망이
숨 쉬고 있지 않을까.

거울 앞에서

"너무 짧아져 버렸네
나 이상하지 않아요?"

"좋은데요 뭘
여기서는 길면은 관리가 힘들어요"

"이렇게 짧은 건 처음이라
어색하기도 하고..."

입소하여 처음 커트를 한 어르신이
복잡한 표정으로 거울을 본다 !

한 달에 한 번
길어진 머리카락을 손질하는 날
미용 봉사까지 하는
동료의 가위질이 바빠지고

땀방울 맺힌 수고로
단정해지는 어르신들

서로를 바라보며
"어때, 괜찮아 보여요?"

나이를 먹지 않은 마음의 눈은
거울 앞에서
기억 속의 모습들을 찾아가는

오늘은 머리 하는 날!.

봉선화 꽃은 지고

사랑이던 분이
배려와 인정과 웃음이
치매 한 가운데서도
봉선화꽃처럼 피어나던 분이
속절 없이 가셨다

언제나 위로가 되던
그녀의 뜰에
휘청거리는 눈물과 함께
꽃잎이 뚝뚝 떨어지고

퉁퉁 부어오른 얼굴이 안타까워
가만히 쓸어 주다
입술을 쑥 내밀면
언제나처럼
가볍게 입맞춤으로 웃어주던
그 모습이 마지막이 되고

부디 좋은 곳으로 가세요
잠시 눈 감으니

"나 이미 좋은 곳에 와 있어"
속삭임이 들려 온다

나의 입가에 안도의 미소가
그의 빈 뜰을 채우고 있다.

여자이니까

"어르신
이 옷은 나일론이라
입고 주무시면 건강에 좋지 않답니다
면바지로 바꾸는 게 좋을 것 같아요"

"괜찮아요
나는 이게 이쁘고 마음에 드니까
신경 쓰지 마세요"

와 상으로 침대 생활만 하시나
꼭 본인이 원하는 걸 입혀 드려야 한다

"이쁜 옷 입었네
비싸 보이기도 하고..."
관심을 주는 어르신들 앞에서
차려입은 어르신들은
자식들이 사 준 거라고
자랑이 늘어진다

개인의 의사가 존중되기도 하지만
입을 옷이 제대로 없는 분들도 많아
서로 간에 차별이
어쩔 수 없이 존재하고

세탁소로 보낸 옷들이 돌아오면
우르르 모여드는
나이를 먹어도 여자임을

병이 들었어도 죽을 때까지 여자임을
더 가혹하게 느끼는 이곳!

저 마음조차 빼앗기면
얼마나 무기력해 질까

막다른 세상살이가 안간힘으로
펼쳐지고 있다.

제 8부

요양원 마당에서

한여름
오후의 뜨거운 햇살 아래
중년의 여인이 엎드려 있다
얼굴은 눈물범벅이 된 채

살인적 더위도
일으켜 세우지 못하고
어머니
어머니--
애간장 녹이는
안타까움만 토해 낸다

돌아가는 비행기를 타면
다시는 살아생전
못 볼 것 같은
어머니 모습인지라

차마
발길 돌리지 못해

요양원 마당에서
어머니 계신 곳으로 큰절을 올리고서
마냥 흐느끼고 있다

보는 이도 따라 울고

태양조차 돌아서
구름으로
얼굴을 가리고 만다.

기억 속의 남편은

"우리 남편은
절대 그런 분이 아니에요
남에게 욕을 하거나
싫은 소리 할 사람이 아니라 구요
평생을 살아왔는데
그걸 모르겠어요"

입소한 지 얼마 되지 않은
남자 어르신의 부인이
강경한 항의를 한다
면회 중에 뒤틀린 이야기를 전한 것이다

"지금 어르신이 치매 때문에
조그만 일에도 화를 잘 내시고
옷을 갈아입히려 해도
목욕을 시키려 해도
아무리 설득하여도

욕설을 하고 팔을 마구 휘둘러
선생님들이 고생하고 있답니다"

"그럴 리가 없어요!
얼마나 교양 있고
사람 좋은 남편인데
그런 말은 믿을 수가 없어요

살아오면서 너무도 잘해 주어
일 때문에 모실 수는 없어도
면회도 자주 오고
안부도 확인하니
다음에 또 어떤 불평을 듣게 되면
생각을 좀 해 봐야 될 것 같네요"

애꿎은 담당자들만 혼이 나고

제 자리로 돌아오신 어르신은
아무 일도 모르는 듯
맛있게 간식을 드신다

그 부인은 어쩜
변해가는 남편의 모습을
도저히 인정하기 싫은 것 일지도...

기억 속의 남편을 붙들고 싶은 그 마음이
안타깝게 와닿는 하루.

오늘이 며칠이야 1

유난히 눈빛이 살아있는
90세 넘은 할머니가 입소 하셨다

두리번 거리고
뭐지? 하는 심정으로 살피고
정해진 침대 한 켠에 조심스레 올라본다

"어르신 반갑습니다
마음 편하게 가지시고
잘 지내시도록 돌볼게요"

"내가 할 수 있어
수발들면 돈 내야 할게 아냐
내가 알아서 할 거야"

혼자 사시다가 넘어져
얼굴이 피멍이 가득하고

거동이 불편한 데도
요령껏 움직이며 눈치를 보신다

식사도 잘 하시고
이동 변기도 겸연쩍게 이용하며
상황 파악을 종일 하시다가
이제는 편해졌는지 말문을 연다

"나 말이여
넘어진 거니까
좀 나아지면 집으로 갈 거니
옷가지들도 신경 쓰지 말고
그대로 두게."

오늘이 며칠이야 2.

아들이 면회를 다녀갔다
기뻐야 할 그녀의 얼굴은
복잡하고 어두워 보인다

거실에 모인 다른 어르신께 묻는다
"여기 오신지 얼마나 되었수?"
나는 3년 나는 7년이라고 대답이 돌아온다

"왜 안 돌아가고 여기 있나요?"
"아니, 갈 데가 있으면 여기 왜 와요
몸 아프고 돌봐줄 사람도 없으니
와 있는 거지
이제는 죽어야 나간다고 봐야죠"

어르신은 심각한 표정으로
하나하나 정리 해보며
여기가 어떤 곳 인가를 생각해 가시다가

갑자기 어이 하고 부르신다
"자네는 말이야 자식들 있으면 절대
재산을 넘겨주지 말어"

"내가 말이야
일찍 혼자 되었어도 소들 키워가며
무지하게 고생하고 열심히 살아
땅도 사고 돈도 모았지
근데 얼마 전 자식들 다 나눠 줬더니
이제 찬밥 신세가 된 것 같네"

"아니에요, 어르신
지금도 거동이 불편하시고
혼자 지내시다가 또 다치실까 봐
여기로 모신 겁니다

그렇다고는 하지만...
입을 다무신다

밤은 번뇌로 뒤척이며 깊어 간다.

오늘이 며칠이야 3

"어르신
왜 보따리를 싸세요?"
"아, 이거
오늘 아들이 면회 올 건데
필요 없는 건 집으로 돌려 보내려구"

서랍장을 열어 보니 텅 비어 있다
집으로 돌아가려는 생각임을 알아채고
면회실에 미리 상황을 알린다

초조하게 기다리던 아들이 면회를 오고
머지않아 면회실에서 전화가 온다
어르신 짐을 아들 차에 다 실으라고
불호령이 떨어지고 난리가 났으니
차에 실었다고 해야 하니까
일단 보따리를 숨겨 두라는 지시!

많은 시간이 지나고
이것저것 간식과 함께 다시
방으로 돌아오셨다

"아드님 보고 오시니까 좋으시죠"
"그럼 좋지"
아무런 일도 없었다는 듯
밝은 얼굴이다

"아들이 말을 잘해 맘 푸시고 돌아온 거에요"
인솔자 선생님이 낮은 목소리로 알려 준다

자식 이기는 부모 없다더니
아들 앞에서 굳은 결심도 녹아내린 듯
편안하게 잠든 숨소리를 들으며
조용히 짐을 풀어
서랍장이며 제 자리에
다시 정리를 해 둔다.

오늘이 며칠이야 4.

이제는 마음을 접고
잘 적응하시는가 하였지만
며칠이 지나자
식사를 영 못 드신다

"어르신
식사를 잘하셔야 해요
힘드시면 도와 드릴게요"
"아녀, 입맛이 없어 그러니 그만두게"

"단추가 다 열려 있네요
추우신데 끼워 드릴게요"
"일부러 풀어 놓았어
울화가 치밀어 답답해서 그래"

계속 우울한 모습으로 식사도 거르시고
잠만 주무신다

관심을 가지면
"이러다 죽을 건데 내 버려둬!"

어르신이 살아온 집도
빠르게 세를 놓았다는 소식에

"선생님, 우리들은 자식을 아예 믿으면
안 될 것 같아요
줄 것도 없지만
죽을 때까지 재산도 물려주면 안되겠어요
지척에서 생생히 보니 노후를 어떻게
대비해야 할지.."

동료들의 화가 난 넋두리가 들려 온다.

오늘이 며칠이야 5.

아들과 며느리가
적극적으로 면회 오고
좋아하시는 반찬도 만들어 온다

조금씩 밝아 지시다가
'하긴 나 같은 늙은이
치다꺼리를 하고 싶겠나
시대가 변해도 한 참 변한 거지'
자조적이 시다가
체념을 하신 것일까

식사도 잘하시고
거실에도 자주 나오시며
커피를 즐겨 드신다

"오늘이 며칠이지?
설날이 얼마나 남았어?"
"네, 아직 두 달 정도 남았어요"

옆에 어르신께 여쭈어도 본다

명절에는 집에도 갔다 오고 합니까?
"갈 곳이 없어 못 가요!"

퉁명한 목소리에 난감해진 얼굴로
우리들을 보고 다시 물어 보신다

"설에는 집에 갈 수 있는거여?"
"그럼요 자녀 분들이 모셔 가면
며칠이고
다녀오실 수 있답니다

오늘이 며칠이야?
달력을 두고도 매일 잊지 않고
확인하시는 아침으로

기다림의 하루가 이어져 간다...

제 9 부

문 열어 봅시다

"할머니 집에 안 갈 거요?
나랑 집에 갑시다
저 문이 열리지 않으니
할머니가 한번 열어 봐요
자 어서 일어나 봐요"

무슨 말인지도 몰라
동문서답이 돌아오지만
계속 졸라대며 재촉한다

"할머니 나 혼자서는 안 열리니
같이 문 좀 열게 갑시다
할머니가 열면 또 알아
열릴 수도 있을지"

같은 말을 수없이 반복하자
"에고 가자구요 갑시다"!
알았다는 듯 일어 서신다

긴 복도를 손을 꼭 잡고
걸어가는 모습이
슬프도록 비장한데

손잡이를 번갈아 돌려 보다가
"할머니가 해봐도 안 열리네?
할머니 안 되겠어!
내일 또 해 봅시다"

비슷한 나이에도
항상 젊은 나이에 머물러 있는 기억은
다른 이는 할머니가 되고

거실로 돌아오는 동안
목적조차 까맣게 잊어버리지만
같은 말과 행동은 되풀이 된다

"할머니!
어둡기 전에 집에 가야지
아들이 들어오기 전에 얼른 집에 갑시다
너무 멀리 온 것 같어"

굽은 허리를 펴보며
휘어진 걸음걸이로
오늘도 복도를 채우고 있는
손잡은 뒷모습이

어느 영화의 마지막 장면처럼
먹먹하게 긴 여운이 스며든다.

창안의 여자

시린 창밖을 본다
소리 죽인 바람이 창문을 쓸어내리고
창가에 앉은 여인은
바깥세상을 그리움으로 쓰다듬는다

하루 일과는 같은 그림으로 시작되고
3층에서 바라보이는 풍경 속에서
아들의 그림자를 찾는다

'오늘이 무슨 요일이지?
아들이 온댔는데
저 차가 아들 차 같기도 하고'

시간은 정지된 정물화같이
기다림만 키워가고

그렇게 창안의 여인은
늙은 세월을 삼키고 있다.

지킬과 하이드

침대 난간을 잡고 흔든다
달려 있는 식탁도 쾅쾅 두드리고
만류하면 때리고 꼬집는다

침대를 내려와
이동 변기도 뒤집고
손에 잡히는 건 다 과격한 무기로 변한다

기저귀를 빼고 방 바닥에 옷에
대소변을 발라놓고
저지하고 달래보려 하면
어디서 그리 센 힘이 나오는지
붙잡히면 빠져나오기도 힘들 정도다

욕설을 하고 침을 뱉고
잡아끌고 때리기까지 한다

힘들게 안정제라도 먹여야
겨우 조금씩 진정을 해 가신다

"어르신
우리를 때리고 그러지 말아 주세요"
"내가? 내가 그런 짓을 한다고?
내 아이도 안 때려 보고 키웠는데.."
믿을 수 없는 표정이다
"어르신이 아파서 그러시는 거니
식사도 잘하시고 약도 잘 드셔야 해요"

"선생님
내가 또 그러면 뺨을 세게 때려 줘요
그러면 정신이 들지도 모르니까

나 좀 지켜 줘요!
내가 왜 그러는지 나도 몰라요"

"괜찮아요 어르신
아무 걱정 하지 마시고 마음을 편하게
가지셔야 해요
잡은 두 손을 놓지 않고 미안해 하신다"

집에 돌아가 엄마 없는 손주도 돌봐야 하고
홀로된 아들 밥도 해 줘야 한다고
고관절을 다친 불편한 몸으로
내내 집으로 가겠다고 애원하던 분이

가슴이 터져 버린 듯
순간순간 하이드로 변해
날마다 분위기는 아수라장이 되지만

다시 지킬로 돌아올 때는
한 없이 가여워
롤러스케이트를 타는 하루가
늘어나고 있다.

먹이 사냥

걸어가다 슬며시
남의 자리 서랍을 연다
자연스레 과자를 꺼내어 호주머니에 넣고
먼 곳을 본다

비여 있는 서랍도
또 한번 열어보고
아무도 안 보이면 냉장고도 열어
보관 중인 다른 분들의
개인 음식도 내어 드신다

어떤 날은 믹서 커피도
물통 가득 타서 마신 탓에
종일 들떠 알 수 없는 소리를 내기도 한다

아무도 면회조차 오지 않아
그녀는 내 것이 없다

하루 세끼 식사에
오전 커피, 오후 간식 한번

그 외 먹고 싶을 때는
다행히 걸을 수가 있어

이방 저방 눈치 보며
안타까운 사냥을 한다

제재를 해보지만
알았다는 듯 고개만 까닥하고서

그녀의 눈은
시침을 떼듯 먼 곳만 바라보고.

시기와 질투

나른한 오후가 시끄럽다
걸을 수 있는 분들은 소리를 따라 모여들고

"아니, 그래도 되는 거야
왜 저 이만 신경 쓰는 건데
내가 딸들이 면회 오면
먹을 것 사다 주고 뭐 때문에 그랬겠어
나한테 잘하라고 그런 거야"

며칠간 식사도 거부하며
계속 돌봄이 필요한 어르신께
관심을 쏟고 있다가 날벼락이 터진 것이다

"어르신, 이분이 지금 많이 아프답니다"
"뭐야, 보기에는 멀쩡하기만 한데
나도 아프단 말이야!"
언성이 더욱 높아진다

낼모레 맛있는 거 사 오라고
딸들에게 이야기했는데
가져오면 또 주려고 말이야

언제나 원하지도 않는 그 핑계가 볼모 인양
트집을 잡고 본인만 보길 바라신다

"어르신 드실 것만 사 오세요
선생님들은 신경 쓰지 않으시면 좋겠어요!"

"내가 잔소리 좀 했다고 그러기야
그러니 나한테 잘하란말이야"

"왜 당신한테만 잘하라고 떼쓰고 있어?"
옆에 어르신들이 받아치자

말다툼은 불길이 되어 오후를 내내 태우고 있다.

곁에 와 있는 영감

"식사를 왜 안 하시고 계세요?"
"여기 우리 영감이 와 있어요
영감 먹으라고 기다리는 겁니다"

"돌아가셨다는 분이 오실 리가 있나요
얼른 식사하셔야죠"
"내가 거짓말하는 사람 아니라요
계속 나와 이야기하고 있잖소"

온방을 휘저으며
아무도 없다는 확인을 시킨 뒤에야
마지못해 식사를 하신다

'젊었을 때 뭐 잘한게 있다고
여기까지 찾아와 속을 썪이는지
가버리라니까 가지도 않고..'

간식도 드시지 않고
"이리 와서 먹어 봐요"
허공에다
열심히 손짓을 한다

언제부턴가
항상 곁에 와 있다는 영감님과
종일 지나간 못다 한 이야기가

실타래처럼 풀려나와
지루한 긴 하루들을 녹여내고 있다.

자리싸움

"저리 가라니까
여기 왜 앉는 거야"

"자리에 무슨 임자가 있다고
앉으면 어때서"

"여기 올 사람이 있으니
저쪽에 가서 앉으면 되잖아"
옥신각신 끝에 밀려나
다른 자리로 이동한다

텔레비전이 가장 잘 보이는 정면 소파에
오래된 어르신이 터줏대감처럼
자리를 잡고
그 옆자리까지 좋아하는 사람 자리로
지정해 두고서
누군가 침범하면 시끄러워 진다

아무리 설득해 보아도
고집은 변하지 않고

왕좌의 자리처럼 지켜내려고
종일 그 자리에 앉아서 지낸다

이곳에서도 서열이 은연중
정해지고
같은 편이 만들어져
방을 이동할 때는
고려해야 하는 상황

세상 끝에 와서도 놓아 버리지 못하는
씁쓸한 이기심이

병든 마음속에서도
살아 움직이는 나날!.

제 10 부

어느 눈 오는 날의 풍경

벚꽃처럼
함박눈이 폴폴 떨어지는 일요일 아침

어르신들이 옹기종기
예배실에 자리를 잡는다

그사이 쌓이는 눈길을 자전거로 헤치며
기타를 맨 키 큰 목사님이
하얗게 창밖을 채우고

눈을 털며 안녕하세요!
울림이 큰 목사님의 인사에
예배실 가득 생기가 돈다

한세상을 걸어오다 지친 어르신들이
천진한 아이로 돌아가고

목사님은 주일학교 선생님처럼
율동과 함께 정겹게
찬송을 인도 하신다

내리는 눈들이
소복이 기웃거리는

눈 오는 날의
동화 같은 풍경이다.

아기처럼 안겨 오고

"어르신
식사 시간이니까 식탁 의자에 앉으셔야 해요"

소파에 앉아 의심 많은 눈으로
좀처럼 이동을 거부하시는 분이라
신뢰와 끈기와 사랑을 가지고
웃는 얼굴로 손잡아 일으킨다

처음에는 그 간격이 길었지만
이제는 미소와 함께 손만 내밀어도
좋아하시며 일어 나신다

화장실에 모셔 갈 때도
쉽게 풀리지 못하는 의심을 보고
지난날의 상처가
어렴풋이 느껴지고

지독한 동상의 흔적으로
껍질이 벗겨지는 두 손을 만져주고

안아드리자
아기처럼 가슴에 파고든다

사랑의 목마름이
긴장과 의심의 사슬이
말도 제대로 안 되는 그녀에게서
고스란히 아프게 전해지고

이제는 틈만 나면
곁에 앉아 달라고 손짓하신다

어깨를 감싸줘도
행복해하는 웃음에
내 마음도 따뜻해지는 시간.

나의 할머니

봄비 내린 뒤
할머니의 호미질에 씨앗이 심어지고

수줍게 가지가지 꽃망울들이 터지면
어미 닭은 병아리들을 몰고
옹기종기 꽃밭을
노오랗게 기웃거리고

나리꽃 활짝 여름을 알리자
모여든 호랑나비 춤 들을 바라보며
해바라기처럼 웃고 계시던 할머니

가을걷이 바쁜 손끝에서
우리들은 날마다 배가 부르고

문풍지가 윙윙 찬 바람에 떨고 있을 때는
병아리처럼 할머니 품 안으로
마구마구 파고들던
긴 겨울밤!

아직도 생생한
할머니와의 시간 속에서는
백발이 늘어나는 나도
어린아이가 되고

누군가에게도
그리움으로 남을 할머니들이
봄이 오기 전
떠날 채비를 하고 있다!

새봄의 뜰 안에 아프게 영근 씨앗을
고이 묻어 둔 채!.

당신은 어디에

묻고 싶네요
당신은 어디에 있나요
당신의 눈물
당신의 한숨
당신의 하소연
그 속에 당신은 있나요?

숱한 길을 걸어와
이제는 마지막 쉼표가 된 지금
아직도 자신의 심장을 가지지 못하고

자식이나 남편, 혹은 아내
두고 온 내 집, 살림살이까지
내가 아닌 것에 눈물 흘리고
내가 아닌 것에 한숨을 짓고
내가 아닌 것에 하소연만 늘고 있나요

머지않아 당신의 시간은 사라지고
껴안은 시간 속에서 당신은 잊혀 가며

그 어느 것 하나도
동반하지 못하는데

두고 갈 그 많은 것들에 사로잡혀
자신을 사랑할 줄도 모른 채

떠날 길목에서도
당신은 보이지 않네요

당신은 정녕 어디에 있나요!

독백

유치원이 되었다가
응급실로 변하기도 하고
목소리가 커지는가 하면
때론 소리 없는 임종도 보아야 하고

고요한 절간 같았다가
잠조차 잊은 아수라장
웃음마저 치매를 앓는다

변화무쌍한 시간 들이
때도 없이 어우러져
어지러운 삶의 마지막 장

가보기 전 누가 짐작하랴
멀리 있다고만 준비도 없던
우리들!

어쩔 수 없는
참으로 어찌할 수 없이
길을 잃은 채

내가 움켜쥔 손전등마저
빛을 잃고

어둠 속을 더듬어 가는
답안지 없는 하루들만 길어지고 있다.

지나고 보니

지나고 보니
그것은 슬픔이 아니었습니다
젊은 날의 방황도
아름다움 이었습니다

길 찾아
무수히 넘어지기도 하였으나
파랗게 살아있음의 증표였습니다

추억이 나이를 먹으면
그리움만 남게 되지만
그것도 부질없어
지금은
다 벗어내는 중입니다

지나고 보니 모든 게
구름 입니다
한껏 그림을 바꿔 그렸지만
흔적 없이 흘러가 버리고

삶이라는 것이
돌아가기 위해 잠깐 맡겨진
도화지였습니다

내가 그린 그림의 성적표로
한바탕 세상을 헤엄치다

이제는 나마저도 구름이 되어
피안으로 고향길 가듯 떠날 겁니다

비밀 한 설렘을 안고
다시 빈 도화지를 품어봅니다.

기도

오늘이 주어졌음을 감사합니다

하루는 이어져 매 일이 되고
매일 이 계속되어
오늘이 되었습니다

오늘 일어나는 모든 일들에
오늘 펼쳐질 모든 환경에
오늘 볼 수 있는 모든 세상에
이미 당신의 사랑이 깃들어 있음을

어둠이 벗겨지고
생각은 껍질을 깨고
갈망이 깨달음을 만나

아, 그 만남은
내가 아니라 당신이 찾아온 것입니다

감긴 눈이 떠지자
당신은 늘 옆에 계셨네요!

생각해 온 모든것 들이
세상이 되고
인생이 되고
운명이 되어 돌아왔지만

이제는
당신 안에서
우리는 날마다 어린아이가 되어
살아서도
죽어서도
오직
당신 품 안에 있게 하소서!

죽음 건너편

여기는 또 다른 세상이다.
바깥은 생존을 위해 투쟁하고 삶을 누리는 곳이라면
여기는 그 세상을 떠나가기 위해 몸부림치는 곳이다.
그동안 살아온 방식은 달랐어도 돌아갈 길은 같다.
각기 다른 모양으로 살아왔지만 막다른 길은 하나인 것이다.

우연히 인도 여성인, 아니타 무르자니가 쓴
-그리고 모든 것이 변했다- 라는 책을 읽게 되었다.
림프암으로 죽음 직전인 2006년 2월 2일에
임사체험을 하고,
온몸에 퍼져있던 암이 흔적도 없이 사라진 채
다시 살아나
의학계를 놀라게 했다고 한다.
그녀는 죽음 건너편을 이렇게 표현하였다.

－나는 물리적 환경에서 떨어져 나와 계속해서 더 멀리
확장되어 가는 것을 느꼈다.
더 이상 시간과 공간의 제약을 받지 않고 계속 넓어져서,
훨씬 더 넓은 의식을 갖게 되는 것 같았다.
나는 전에 육체적 삶에서도 한 번도 경험해 보지 못한

자유와 해방감을 느꼈다

이것은 기쁨에 더해 환희와 행복감이 무한히 솟아오르는
감정이라고 밖에는 설명하지 못하겠다.
병들고 죽어가는 내 몸에서 풀려났다는 기쁨, 병이
내게 준 그 모든 고통에서
풀려났다는 환희에 넘치는 해방감이었다.

오로지 장대하고 영광스러운 무조건적인 사랑이라고 밖에
표현할 수 없는 무엇이 나를 둘러쌌고,
내가 계속해서 모든 걸 놓아가는 동안 나를 꼭 감싸주었다.
사랑과 기쁨, 황홀경, 경외감이 내 안으로 나를 뚫고 쏟아져
들어왔고 나는 그 안에 잠겨버렸다.
나는 가히 내 상상력을 뛰어넘는 거대한 사랑에 집어삼켜지고
둘러싸였다.
그 어느 때보다도 자유로웠고 진짜로 살아있다는 느낌이
들었다.
완전하고 순전하며 조건 없는 사랑의 그 느낌은,
내가 전에 알던
그 어떤 것과도 같지 않았다.
아무런 자격도 요구하지 않는 절대적인 사랑…
조건 없는 사랑 속에서 내가 받아들여지는 느낌은

참으로 놀라운 것이었고, 나는 이 문턱을 넘어
그 사랑을 영원히 느끼고만 싶었다.
그것은 마치 모든 살아있는 존재와 창조물의 순수한
본질 안에
그 하나임 속에 감싸여 있는 느낌이었다.―

-아니타의 글 중-

그녀는 세상 사람들이 증거 없이 믿기 어려워하는 문제를
해결 하듯 ,깨어 살아난 그의 몸에서 수많은 검사에도
암을 찾아내지 못했고, 기적처럼 망가진 장기들도
며칠 만에 회복되었다.
임사체험 중 그녀는 자신조차 본질은 사랑임을
깨달아, 많은 사람들에게 이 놀라운 차원의 사랑을
전하여 마음과 몸을 치유하는데 도움이 되리란
믿음으로, 머무르고 싶은 곳을 떠나
세상으로 다시 돌아오기로 한 것이다.
지금도 그녀는 지구 곳곳에서 창조주의 사랑과
메시지를 전하고 있다 .

우리들이 각자 어떤 종교를 가졌던, 아니면 종교가
없다 해도,
조물주라 칭하는 하나님의 사랑이 조건 없이 다른
차원에서 기다리고 있다고 믿을 수만 있다면,
두려워할 것이 무엇이 있을까?

두려움이 전쟁을 일으키고
두려움이 욕망을 만들어 내며
두려움이 시기,질투,미움을 유발하고
두려움이 발목을 잡아 나아가지 못하며
두려움에 갇혀 병이 생겨나
그 두려움은 강력한 힘을 가지고 우주에
뻗어나가 운명까지
바뀌어 버릴 수가 있으며
이 두려움을 이길 방법은 아기가 엄마 품 안에서
전적으로 엄마를 믿듯,우리를 창조한 온전한
조물주의 사랑에 그렇게 의존할 수 있다면,
죽음도 두려워할 필요가 없는
평안이 찾아오지 않을까 생각한다.

우리는 눈에 보이지 않는 영적인 심연을 마주하기가 쉽지
않은 현실에 살고 있다.
그래서 이 땅 위에서 각자가 스스로 만든 지옥과 천국을
맛보고 있는지도 모른다.
우리의 감정이 이 물리적 현실을 이끌어 가는 동력임을
깨달아, 두려움 없이 자신을 사랑하여 남도 사랑하며
사라질 것에 대한 욕심을 조금씩 내려놓고 살아간다면,
아름답고 건강한 인생이 되지 않을지 상상해 본다.

자신을 사랑하지 못하고 관습과 인습과 환경에 이끌려
온 많은 어르신들이 스스로 마음을 지켜갈 중심이 없어
고통당하시며,
굳어지고 닫힌 사고조차 바꾸기는 쉽지 않지만,
두려워하는 죽음 건너편에 온전한 사랑이 기다리고
있음을 믿어
모든 감정의 사슬이 평안으로 풀려나길 간절히 바라며
사랑의 손길들이 함께하길 기도드린다!

2024년. 봄

히브리서 11장 1절
믿음은 바라는 것들의 실상이요
보지 못하는 것들의 증거니..

요양원,우리들의 이야기

발 행 | 2024년 5월 8일
저 자 : 남 모니카
펴낸이 | 한건희
펴낸곳 | 주식회사 부크크
출판사등록 | 2014.07.15.(제2014-16호)
주 소 | 서울특별시 금천구 가산디지털1로 119 SK트윈타워 A동 305호
전 화 | 1670-8316
이메일 | info@bookk.co.kr

ISBN | 979-11-410-8430-1

www.bookk.co.kr
ⓒ 저자명 남모니카